Direction générale : Gauthier Auzou
Responsable éditoriale : July Zaglia et pour la présente édition : Claire Simon
Mise en pages : Alice Nominé
Responsable fabrication : Jean-Christophe Collett – Fabrication : Nicolas Legoll
www.auzou.fr

Peter Pan

D'après le conte de J. M. Barrie
Illustrations de Mellie Theïs

AUZOU

Wendy, John et Michael vivent heureux avec leurs parents,
M. et Mme Darling. Nana, une brave chienne qui est aussi
leur nounou, veille sur les trois enfants.

Chaque nuit, ils s'envolent en rêve pour le pays de l'Imaginaire.
Sur cette île merveilleuse peuplée de pirates, d'Indiens et
de sirènes, vit un enfant du nom de Peter Pan. Malicieux
et intrépide, il est aussi le capitaine des garçons perdus.

Mais surtout, il a décidé de ne plus jamais grandir
pour pouvoir s'amuser sans répit.

Un soir, Peter Pan et la fée Clochette apparaissent
dans la chambre des enfants. Wendy se réveille
et découvre Peter.
« Tu veux bien m'aider à recoudre mon ombre ? »
En effet, Nana la lui avait arrachée…
Aussitôt dit, Wendy recoud l'ombre de Peter.

« Veux-tu me suivre au pays de l'Imaginaire ? dit Peter
à Wendy. Tu pourrais t'occuper de nous et nous raconter
des histoires ! » Wendy accepte, à condition que John
et Michael les accompagnent. Un peu de pollen de fée
et les voilà prêts à s'envoler !

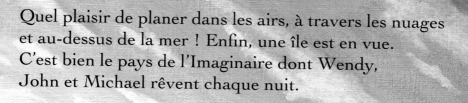

Quel plaisir de planer dans les airs, à travers les nuages
et au-dessus de la mer ! Enfin, une île est en vue.
C'est bien le pays de l'Imaginaire dont Wendy,
John et Michael rêvent chaque nuit.

Mais le danger, lui, est bien réel : les pirates les ont repérés,
et ils tirent un boulet de canon sur eux !

Les enfants échappent de justesse à l'attaque. Le capitaine
Crochet est furieux. Depuis que Peter lui a coupé
la main pour régaler le crocodile géant, le pirate ne pense qu'à
se venger. Jour après jour, il traque Peter Pan pour l'embrocher
avec son crochet.

Mais il doit rester prudent, car le crocodile a tellement aimé
sa main qu'il aimerait bien croquer le pirate tout entier.
Par chance, le crocodile a aussi avalé un réveil-matin…
C'est un signal bien utile pour Crochet, qui s'enfuit dès
qu'il entend un « tic-tac, tic-tac ».

Tout le monde est arrivé sain et sauf dans la maison
souterraine des garçons perdus.
Les joyeux garnements accueillent les nouveaux venus.
Pour eux, Wendy est une vraie maman qui
leur raconte des histoires avant de s'endormir.

Sur l'île, ils vivent des tas d'aventures, mais après
plusieurs jours, les enfants sont fatigués.
Pour Wendy, John, Michael et les garçons perdus,
il est temps de quitter le pays de l'Imaginaire…
Et de grandir ! Sauf pour Peter,
qui veut toujours s'amuser !

Wendy et tous les enfants s'apprêtent donc à quitter
la maison souterraine. Peter est triste de les voir s'en aller.
Pendant ce temps, le capitaine Crochet, bien décidé
à attraper Peter Pan, a encerclé la maison souterraine.
Mais les enfants n'en savent rien.

En sortant, ils sont capturés un à un
par les pirates et emmenés sur le bateau.
Peter Pan s'élance à travers le pays
de l'Imaginaire pour délivrer ses amis.
En chemin, il croise le crocodile géant.
C'est alors que Peter a une idée :
il va imiter le « tic-tac » du crocodile
pour effrayer Crochet !

Sur le bateau pirate, l'équipage chante et danse autour des prisonniers.

Soudain, les pirates entendent un « tic-tac » bien familier. Bien sûr, c'est Peter Pan… Crochet est terrorisé. Peter profite de leur panique pour libérer ses amis. La bagarre est lancée, les garçons perdus attaquent les pirates, si bien que très vite, tout l'équipage est jeté par-dessus bord.

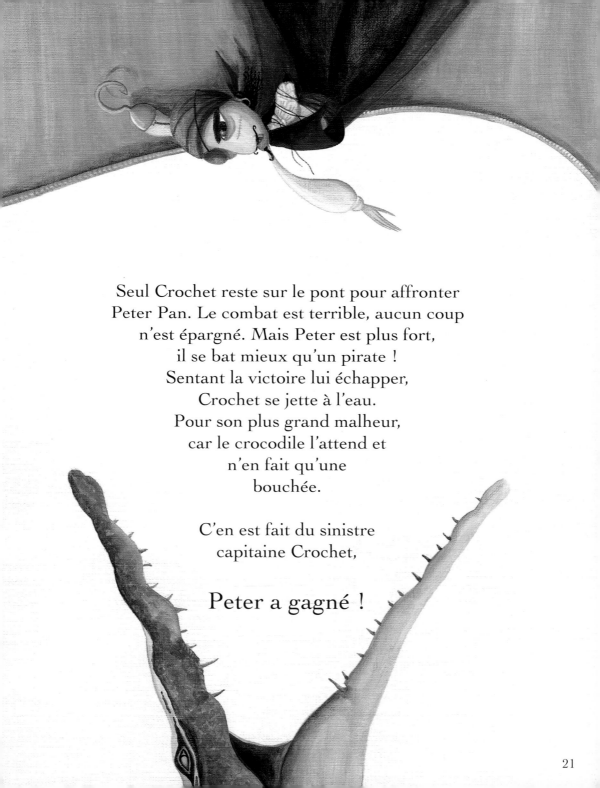

Seul Crochet reste sur le pont pour affronter
Peter Pan. Le combat est terrible, aucun coup
n'est épargné. Mais Peter est plus fort,
il se bat mieux qu'un pirate !
Sentant la victoire lui échapper,
Crochet se jette à l'eau.
Pour son plus grand malheur,
car le crocodile l'attend et
n'en fait qu'une
bouchée.

C'en est fait du sinistre
capitaine Crochet,

Peter a gagné !

Peter Pan est désormais capitaine
du navire et les garçons perdus sont
ses moussaillons. Cap sur le grand large,
Peter ramène tout le monde à la maison.

Pour quitter le pays de l'Imaginaire,
il faut hisser la grand-voile, surveiller l'horizon
et obéir aux ordres du capitaine Pan !

ANA

M DARLING

Depuis que les enfants ont suivi Peter Pan,
M. Darling a un peu perdu la tête. Il s'est réfugié
dans la niche de Nana ! Mme Darling, quant à elle,
est inconsolable. Elle passe son temps dans la chambre
des enfants, au cas où ils reviendraient un jour…

Soudain, M. et Mme Darling n'en croient pas leurs yeux :
Wendy, John et Michael sont revenus !

Tous les enfants ont retrouvé leurs parents. Mme Darling
propose à Peter de devenir sa maman, mais le garçon refuse :
« Pour grandir, aller à l'école, devenir un homme ?
Je préfère rester avec Clochette et m'amuser du matin
au soir ! », répond-il.